L'attaque
des Vikings

L'auteur : Mary Pope Osborne a écrit plus de quarante livres pour la jeunesse récompensés par de nombreux prix. Elle vit à New York avec son mari, Will, et Bailey, un petit terrier à poils longs. Tous trois aiment retrouver le calme de la nature, dans leur chalet en Pennsylvanie.

L'illustrateur : Philippe Masson, né à Rennes en 1965, est issu d'une famille de marins bretons. Actuellement, il vit à Tours avec son amie et ses deux enfants, Lucas et Mona. Il réalise également les dessins de la série Le château magique aux Éditions Bayard Jeunesse.

À Benjamin Dicker.

Titre original : *Viking ships at Sunrise*
© Texte, 1998, Mary Pope Osborne.
Publié avec l'autorisation de Random House Children's Books,
un département de Random House, Inc., New York, New York, USA.
Tous droits réservés.
Reproduction même partielle interdite.
© 2005, Bayard Éditions Jeunesse
© 2003, Bayard Éditions Jeunesse pour la traduction française
et les illustrations.

Conception et réalisation de la maquette : Isabelle Southgate.
Colorisation de la couverture ; illustrations de l'arbre, de la cabane
et de l'échelle : Paul Siraudeau.

Loi n° 49 956 du 16 juillet 1949
sur les publications destinées à la jeunesse.
Dépôt légal : 4e trimestre 2005 – ISBN 13 : 978 2 7470 1843 2
Imprimé en Allemagne par Clausen & Bosse

La Cabane Magique

L'attaque des Vikings

Mary Pope Osborne

Traduit et adapté de l'américain
par Marie-Hélène Delval

Illustré par Philippe Masson

NEUVIÈME ÉDITION
BAYARD JEUNESSE

Léa

Prénom : Léa

Âge : sept ans

Domicile : près du bois de Belleville

Caractère : espiègle et curieuse

Signes particuliers : ne manque jamais une occasion d'entraîner son frère Tom dans des aventures mouvementées, sans se soucier du danger.

Tom

Prénom : Tom

Âge : neuf ans

Domicile : près du bois de Belleville

Caractère : studieux et sérieux

Signes particuliers : aime beaucoup
les livres, qui l'aident à se sortir
de situations périlleuses.

Les sept premiers voyages de Tom et Léa

Tom et Léa ont découvert dans le bois de Belleville, perchée en haut d'un chêne, une cabane pleine de livres. C'est une

cabane magique !

Elle appartient à la fée Morgane, une magicienne et une célèbre bibliothécaire qui voyage à travers le temps et l'espace pour rassembler des livres.

Nos deux jeunes héros ont déjà vécu des **aventures extraordinaires !** Il leur suffit d'ouvrir un livre, de poser le doigt sur une image en souhaitant se trouver à l'endroit représenté, et ils y sont aussitôt transportés !

Au cours de leurs trois dernières aventures, Tom et Léa ont dû affronter de multiples **dangers** pour trouver trois objets et délivrer la fée Morgane, à qui Merlin avait jeté un mauvais sort !

Souviens-toi...

Les enfants ont failli se faire dévorer par un crocodile sur le fleuve Amazone !

Vêtus de drôles de combinaisons, ils ont rencontré l'homme de la Lune.

Tom et Léa sont montés sur le dos d'un gigantesque mammouth.

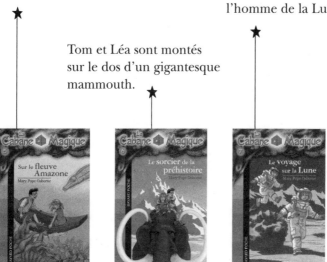

Nouvelle mission :

rapporter de précieux livres !

La fée Morgane confie à Tom et Léa une importante mission : récupérer, pour sa bibliothèque, **quatre livres** qui risquent de disparaître à jamais. Pour cela, nos deux héros doivent remonter le temps.

Seront-ils **assez malins et courageux** ?
Arriveront-ils à sauver ces livres pour la fée
Morgane avant qu'ils ne soient détruits ?

 Lis vite les quatre nouveaux
« Cabane Magique » !

★ N° 8 ★
Panique à Pompéi

★ N° 9 ★
Le terrible empereur de Chine

★ N° 10 ★
L'attaque des Vikings

★ N° 11 ★
Course de chars à Olympie

Prêt à suivre Tom et Léa
dans leurs dangereuses aventures ?
Bon voyage !

Résumé des tomes précédents

★ ★ ★

Après avoir rapporté à Morgane un premier parchemin qu'ils ont réussi à sortir de la ville de Pompéi détruite par le Vésuve, Tom et Léa se retrouvent en Chine. Ils pénètrent dans le palais du Roi Dragon, un terrible empereur, et sauvent du feu une calligraphie. Pour échapper aux gardes, ils se réfugient dans un tombeau souterrain. Mais les voilà enfermés ! Ils ne retrouveront la sortie que grâce à un fil de soie magique. Découvre-vite leur prochaine mission !

La cabane
dans le brouillard

Tom ouvre les yeux. Une aube grisâtre pâlit les carreaux. L'écran lumineux du réveil affiche cinq heures.

« C'est aujourd'hui qu'on va en Irlande ! » se souvient le garçon.

Morgane la fée doit les envoyer, sa sœur Léa et lui, pour une nouvelle mission, au temps des Vikings. Ils vont remonter le temps, se retrouver plus de mille ans en arrière, découvrir une époque rude et pleine de dangers, et rapporter un nouveau manuscrit pour la bibliothèque de la fée.

– Tu es réveillé ?

Léa est entrée sans bruit dans la chambre, déjà habillée et prête à partir.

– Attends-moi en bas, j'arrive ! chuchote Tom en sautant du lit.

Il enfile en vitesse son jean, son T-shirt et ses baskets. Il vérifie si son carnet, son stylo et sa carte de Maître Bibliothécaire sont dans son sac à dos. Il descend l'escalier sur la pointe des pieds et rejoint sa sœur dans le jardin.

L'air est frais et humide, le jour se lève à peine.

– On y va ?

Tom hoche la tête. Il est très excité à l'idée de rencontrer bientôt des Vikings ; un peu effrayé aussi.

Les deux enfants prennent la rue qui conduit au bois de Belleville. Quand ils arrivent sous les arbres, ils ont du mal à retrouver le bon sentier : le bois est envahi de brume.

– La cabane magique est par là ? s'inquiète
Tom.

– Je ne sais pas. On n'y voit rien.

Au même moment, Tom pousse un cri.
Quelque chose de froid a touché sa joue.
Il tend la main :

– L'échelle de corde !

On y est !

Les enfants lèvent les yeux. Ils ne distinguent même pas la cabane, tout en haut du grand chêne, tant le brouillard est épais !

– Montons ! décide Léa.

Elle agrippe l'échelle et commence à l'escalader. Son frère la suit. Les voilà dans la cabane.

– Bonjour, vous deux. C'est gentil de venir si tôt, les accueille la fée.

– On avait hâte de partir, affirme Léa.

Morgane sort de sa manche un papier où sont écrits deux mots :

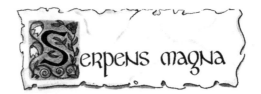

– Voilà le titre de la légende que vous devrez sauver pour moi, dit-elle.

Le S est joliment décoré. L'écriture rappelle celle du parchemin de Pompéi.

– On dirait du latin, observe Tom.

– C'est du latin, confirme la fée.

– Ah ? s'étonne Léa. Mais… c'était la langue des anciens Romains. Je croyais qu'on partait pour l'Irlande ?

– Au Moyen Âge, explique Morgane, dans les pays de ce que vous appelez maintenant l'Europe, les gens instruits écrivaient en latin.

Elle tend un album à la fillette :

– Et voici le livre qui vous aidera dans vos recherches. Il s'intitule *L'Irlande du temps jadis.* Mais, rappelez-vous : dans vos heures les plus sombres…

– Dans nos heures les plus sombres, récitent les deux enfants, seule cette ancienne histoire pourra nous sauver !

La fée sourit. Puis elle précise :

– Cependant, attention ! La magie ne fonctionne que s'il ne reste plus aucune autre solution. Vous avez bien vos cartes de Maîtres Bibliothécaires ?

Tom et Léa hochent la tête.

– Tout ira bien, dit la petite fille. Ne vous inquiétez pas. Nous sommes prêts.

Elle prend le livre, pose le doigt sur la couverture et prononce la phrase habituelle :

– Nous souhaitons être transportés là !

« C'est parti ! » pense Tom en fermant les yeux.

Léa fait un signe de la main à Morgane :

– Au revoir ! À bientôt !

– Bonne chance ! leur crie la fée.

Le vent s'est déjà mis à souffler, la cabane à tourner. Elle tourne plus vite, de plus en plus vite. Puis tout s'arrête. Tout se tait.

Un escalier dans la falaise

Tom ouvre les yeux. Il fait sombre, l'air est encore plus humide et plus froid que dans le bois de Belleville.

– Tiens, je porte une robe longue, dit Léa. J'aime bien, quoique… le tissu gratte un peu. Ma carte de Maître Bibliothécaire est dans une bourse accrochée à ma ceinture. Très pratique ! Et mes cheveux ! Tu as vu, Tom ? Ils sont nattés.

Tom, lui, constate qu'il est vêtu d'une chemise et d'un pantalon de grosse laine. Ses baskets se sont transformées en chaussons

de cuir. Une besace, en cuir également, remplace son sac à dos.

Il se dirige vers la fenêtre de la cabane, mais il ne distingue pas grand-chose du paysage, noyé dans le brouillard.

– Brrr ! fait Léa en le rejoignant. Il ne fait pas chaud au Moyen Âge !

– C'est que le soleil n'est pas encore levé. Passe-moi le livre, qu'on se renseigne un peu sur cet endroit !

Tom ouvre l'album à la première page et lit à haute voix :

Au Moyen Âge, les moines
voyageaient à travers l'Europe
et bâtissaient des monastères.
On a retrouvé en Irlande les ruines
d'églises datant du VIe siècle.

– C'est quoi, des monastères ? demande Léa.
– Des sortes de maisons où les moines
vivent ensemble, pour travailler et prier
Dieu.
– Ah ? Tu crois qu'on va rencontrer des
moines, dans ce brouillard ?
– Sûrement ! Écoute un peu ce que dit
le livre :

Les monastères possédaient
de magnifiques bibliothèques.
Bien avant l'invention de l'imprimerie,
les moines passaient des heures
à copier à la main des textes en latin
sur des feuilles de parchemin.

– Tu vois, conclut-il, si Morgane nous a envoyés ici pour sauver une ancienne légende, c'est qu'il y a une bibliothèque pas loin.

– Hé ! s'écrie soudain Léa. La cabane n'est pas posée en haut d'un arbre, mais sur un rocher. J'aperçois la mer, juste en dessous !

La petite fille passe par la fenêtre. Tom se dépêche de ranger le livre dans son sac, il suit sa sœur et se retrouve sur une corniche dominée par une falaise.

En bas, les vagues viennent se fracasser dans un éclabous-sement d'écume.

– Je me demande où on va trouver un monastère, dit Tom. C'est plutôt sauvage, par ici.

– Là-haut, peut-être ? suggère Léa en montrant des marches étroites creusées dans le roc.

Tom regarde. Le sommet de la falaise est caché par la brume.

– On ferait mieux d'attendre qu'il y ait un peu de soleil, pour y voir plus clair. Cet escalier a l'air drôlement glissant.

– On va monter lentement, décide Léa.

Elle gravit les premières marches et pousse une exclamation :

– Ouille ! Je me suis pris les pieds dans ma robe !

– Je t'ai dit d'attendre ! rouspète son frère. Tu vois bien que c'est dangereux !

Au même moment, quelque chose lui tombe sur la tête.

– Hé ! Qu'est-ce que c'est que ça ?

C'est une corde, une corde épaisse qui se balance le long de l'étroit passage.

– Je parie que quelqu'un est là-haut pour nous aider ! déclare Léa.

– Oui, mais qui ?

– Montons, on verra bien !

Elle attrape la corde et commence à escalader les marches. En un rien de temps, elle disparaît dans le brouillard.

– Léa ! appelle Tom. Attends-moi !

Mais le bruit des vagues couvre sa voix. Alors, il saisit la corde et grimpe à son tour.

Quand il émerge au sommet de la falaise, une main puissante le prend par le bras et le hisse à côté de sa sœur.

– Tiens, tiens ! s'exclame une voix joyeuse. Voilà un deuxième jeune envahisseur !

Frère Patrick

De minuscules gouttes d'eau mouillent les lunettes de Tom. Il les enlève, les essuie, les remet sur son nez et découvre le personnage qui se tient devant lui.

C'est un homme trapu, vêtu d'une longue robe brune. Il a une bonne figure ronde, et une couronne de cheveux gris entoure son crâne chauve.

– Nous ne sommes pas des envahisseurs ! proteste le garçon.

– Tom est mon frère, précise la petite fille. Moi, je m'appelle Léa. Nous arrivons du

bois de Belleville. C'est en France.

– Et nous venons en paix ! déclare Tom.

Les yeux bleus de l'homme se mettent à pétiller :

– Vraiment ? Me voilà rassuré ! Je venais juste d'envoyer la corde qui sert de rampe pour descendre l'escalier, et voilà que vous surgissez ! Comment diable êtes-vous venus jusqu'ici ?

Tom reste muet, incapable d'expliquer en trois mots l'histoire de la cabane magique.

Léa improvise :

– On est… euh… On est arrivés en bateau.

– En bateau ? Par ce brouillard ? Alors qu'il fait à peine jour ? Vous devez être de fameux marins !

– Où sommes-nous, exactement ? enchaîne la petite fille. Et qui êtes-vous ?

L'homme sourit, amusé :

– Vous avez accosté une petite île au large

de l'Irlande, et mon nom est Frère Patrick. Je suis un moine.

– Un moine ! Donc, vous vivez dans un monastère !

Le sourire de Frère Patrick s'agrandit encore :

– Tu as deviné !

Léa chuchote à l'oreille de Tom :

– Je crois qu'on peut lui faire confiance. On lui montre nos cartes ?

Le garçon approuve de la tête. Ce moine lui fait bonne impression.

Les enfants sortent leurs cartes de Maîtres Bibliothécaires et les présentent.

Le M et le B dorés scintillent dans la pâle lumière de l'aube.

Aussitôt, le moine s'incline avec respect :

– Si jeunes, et déjà Maîtres Bibliothécaires ! Soyez les bienvenus chez nous, mes amis !

– Merci !

– Vous savez, leur avoue Frère Patrick, je ne vous ai pas réellement pris pour des envahisseurs. Mais nous devons nous méfier des étrangers.

– Pourquoi ? s'étonne Léa.

– À cause des Vikings qui attaquent parfois les villages des côtes irlandaises. Lorsqu'on voit les dragons surgir de la brume, mieux vaut se cacher, pour ne pas être capturé et emmené comme esclave !

– Les dragons ?

– Oui, on appelle les bateaux des Vikings des drakkars, ce qui signifie « dragons ». Et les proues de leurs navires sont ornées d'immenses têtes de dragons. C'est très effrayant.

Tom jette un regard inquiet vers le large. Mais Frère Patrick le rassure :

– N'ayez pas peur ! C'est très difficile d'aborder dans notre île tant que le jour n'est pas complètement levé. Les Vikings sont de bons marins, mais… moins habiles que certains !

Le moine adresse aux enfants un clin d'œil complice. Puis il poursuit :

– Dites-moi plutôt ce qui vous amène dans cet endroit perdu.

– Oh ! s'écrie Tom. J'avais presque oublié ! Il tire de son sac le papier que Morgane leur a donné avant leur départ et le montre au moine.

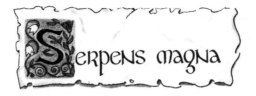

Serpens Magna

– C'est le titre d'une légende que nous devons rapporter à notre amie, la fée Morgane, explique Léa.

– Je vois, dit Frère Patrick en dévisageant les enfants d'un regard songeur.

Il propose alors :

– Voulez-vous visiter notre monastère ?

– Si tôt ? s'étonne Tom. Les autres moines dorment peut-être encore.

– Oh non ! Nous nous levons avant l'aube. Nous avons beaucoup à faire. Suivez-moi !

Frère Patrick les entraîne le long d'un sentier caillouteux. Tom espère que le document qu'ils sont venus chercher se trouve bien à la bibliothèque du monastère. Il n'a aucune envie de s'attarder sur cette île battue par les vents, où, dès qu'il fera jour,

les Vikings risquent de débarquer à bord
de leurs bateaux à tête de dragon !
Une cloche sonne au loin.
Bientôt, la silhouette d'un clocher solitaire
se dessine sur la grisaille du ciel.

Une merveilleuse bibliothèque

Un mur de pierre entoure le monastère. Passé le portail, les enfants découvrent un jardin potager et une série de petites maisons basses.

– Nous cultivons nous-mêmes nos légumes, dit Frère Patrick en désignant des rangées de pois et de choux. Nous avons aussi un verger. Et venez voir notre boulangerie !

Il conduit les jeunes visiteurs à l'entrée d'une des maisonnettes. Un moine est en train d'enfourner des galettes de blé dans un four de pierre.

– Ça sent bon ! apprécie Léa.

Plus loin, Frère Patrick leur montre le dortoir, l'atelier de couture, la cordonnerie, la forge, où les moines fabriquent leurs outils. Devant la porte du plus grand bâtiment, leur guide annonce :

– J'ai gardé le meilleur pour la fin ! C'est ici que nous nous consacrons à notre plus belle tâche. Entrez !

La pièce est tiède et silencieuse, éclairée par une multitude de chandelles. Des moines assis devant des pupitres écrivent et peignent sur de larges feuilles de parchemin.

– Voici notre bibliothèque, déclare Frère Patrick. Nous conservons ici de précieux ouvrages de mathématiques, d'histoire, de poésie. Oui, dans cette petite île perdue au milieu de la mer, nous créons les plus beaux livres du monde ! Nous y recopions aussi bien les grands récits chrétiens que

les vieilles légendes irlandaises.

À ces mots, Tom dresse l'oreille :

– Des légendes ?

– Oui ! Celles que les conteurs ont transmises de génération en génération, depuis les temps très anciens, où l'on croyait à la magie !

– Génial !

– Admirez, par exemple, le travail de Frère Michael ! Ce sera l'œuvre de sa vie. Un très vieux moine orne d'une plume habile la bordure d'un parchemin avec une encre bleue. Frère Patrick lui présente les enfants :

– Frère Michael, voici deux jeunes Maîtres Bibliothécaires venus de très loin.

Le vieux moine lève la tête et son visage

se plisse en un large sourire.

– Bienvenue ! les accueille-t-il d'une voix chevrotante.

Il tourne lentement les pages de son livre, pour laisser les enfants admirer les magnifiques dessins rouge, bleu et or, entourant un texte en latin.

– Les belles images ! s'émerveille Léa. Tous ces petits personnages ! Et ces grandes lettres décorées !

Tom sort discrètement de son sac l'album sur l'Irlande ancienne.

Il veut vérifier quelque chose. Quand il trouve la bonne page, il lit :

Les fines peintures ornant les manuscrits du Moyen Âge s'appellent des enluminures.

– Ah oui ! s'écrie-t-il. Des enluminures !

Puis il demande :

– Et vous écrivez avec une plume d'oie ?

Le vieux moine hoche la tête :

– En effet. Quant à ces feuilles de parchemin, elles sont fabriquées avec des peaux de mouton, et nos peintures avec des plantes.

– Montrez donc à Frère Michael ce que vous cherchez, dit Frère Patrick.

Tom sort de son sac le papier de Morgane et le tend au moine :

– Je connais bien cette légende. Je suis en train de la transcrire. Regardez !

Il revient à la page qu'il décorait et montre le titre du doigt.

– Oh ! lâchent ensemble Tom et Léa.

 Ils ont devant les yeux deux mots dont la première lettre est ornée de bleu et d'or : Serpens Magna.

Dragons à l'horizon !

– C'est notre légende ! s'écrie Tom.

– Eh oui, dit Frère Patrick. Malheureusement, Frère Michael n'a pas fini de la retranscrire ! Il vous faudra revenir plus tard.

– Ah ! soupirent les enfants en échangeant un regard désappointé.

– Je ne sais pas si ce sera possible…, commence Tom.

– Ni si nous pouvons repartir sans la légende, ajoute Léa.

Frère Patrick paraît fort étonné.

Seulement, comment lui parler de Morgane et de la cabane magique ?

Dehors, la cloche de l'église se met à sonner à toute volée.

– C'est l'heure des laudes, notre prière du matin, explique le moine. Voulez-vous vous joindre à notre communauté ?

– C'est gentil, dit Tom. Mais nous devons rentrer chez nous.

Frère Patrick hoche la tête, compréhensif. Il reconduit les enfants jusqu'au portail :

– Suivez le chemin jusqu'à la falaise, vous retrouverez l'escalier.

– Merci ! dit Léa.

– Et au revoir ! ajoute Tom.

Il est déçu de quitter le monastère sans avoir pu examiner tous ces merveilleux ouvrages, et, surtout, sans avoir rempli sa mission.

– Embarquez tout de suite ! leur recommande le moine. Ici, le temps change vite !

Il se détourne et se dirige vers l'église.

– Il a raison, reconnaît Léa. Partons !

Les deux enfants courent vers le bord de la falaise. Léa empoigne la corde et descend l'étroit escalier. Tom s'engage à sa suite. Une nuée de mouettes tournoie dans le ciel avec des cris perçants.

– Qu'est-ce qu'elles ont, celles-là ? grommelle Tom. Elles nous cassent les oreilles.

Léa est déjà entrée dans la cabane.

– Tu viens ? appelle-t-elle depuis la fenêtre.

Tom prend pied sur la corniche. Il jette un dernier regard vers la mer.

Alors, il lui semble que son cœur s'arrête de battre : des navires ont surgi de l'horizon. Le vent gonfle leurs voiles carrées. Et leurs proues à tête de dragon semblent teintées de sang dans la lumière du soleil levant.

6

Les envahisseurs

– Léa ! crie Tom. Les Vikings ! Ils arrivent !

La petite fille se penche à la fenêtre :

– Les Vikings ?

– Ils se dirigent droit sur l'île !

Tom fait demi-tour, agrippe la corde et remonte l'escalier.

– Où tu vas ?

– Prévenir les moines !

– Je viens avec toi.

Léa saute par la fenêtre et gravit les marches quatre à quatre.

Lorsqu'ils arrivent au sommet de la falaise,

le brouillard s'épaissit de nouveau, cachant les bateaux des Vikings.

– Dépêchons-nous ! souffle Léa.

L'île tout entière est maintenant recouverte d'une brume froide et cotonneuse. Les enfants distinguent à peine le sentier.

– Les moines sont sûremôt à l'église, dit Tom.

Léa s'accroche à la corde de la cloche suspendue au portail : DONG ! DONG !

– Les Vikings ! hurle Tom. Les Vikings arrivent ! Aussitôt, Frère Patrick, suivi de quelques moines, sort de l'église en courant.

– Hâtez-vous ! ordonne-t-il à ses

compagnons. Rassemblez vite les livres !

Tous se précipitent dans la bibliothèque.

– Nous avons une cachette secrète, explique Frère Patrick aux enfants. C'est une grotte située sur l'autre versant de l'île. Vous pouvez venir avec nous, mais je ne vous garantis pas une parfaite sécurité.

– Ne vous inquiétez pas, dit Tom. Nous allons partir.

– Ne reprenez pas l'escalier, leur conseille le moine. Les Vikings risquent de monter par là. Passez plutôt par l'autre côté. Vous voyez ce gros rocher ? Un sentier descend de là jusqu'au rivage. Vous n'aurez plus qu'à le longer jusqu'à votre bateau. Soyez prudents !

– Merci ! dit Léa.

Au moment où les enfants vont s'élancer, une voix les interpelle :

– Attendez !

C'est Frère Michael. Il sort de la biblio-

thèque, un gros ouvrage sous le bras :

– S'il vous plaît, emportez ceci !

– Vous ne le gardez pas ? s'étonne Tom en reconnaissant le livre sur lequel le vieux moine travaillait, « l'œuvre de sa vie », comme disait Frère Patrick.

– S'il vous plaît, insiste Frère Michael. Notre cachette n'est pas sûre. Qu'au moins ce livre-là soit sauvé !

– Nous en prendrons grand soin, promet Tom, tout ému.

Il range le volume dans son sac. Puis sa sœur et lui agitent la main en signe d'au revoir.

– Bonne chance ! lance Léa.

Et tous deux courent vers le rocher que leur a montré le moine.

7

Cauchemar

Le sentier qui serpente le long de la paroi rocheuse descend presque à pic. Le brouillard est si épais que les enfants y voient à peine à trois pas.

– Doucement ! recommande Tom à sa sœur.

– J'aimerais mieux être en jean et en baskets, grogne celle-ci.

Des cailloux roulent sous leurs pieds. Ils les entendent rebondir jusqu'au bas de la falaise. Le bruit des vagues se fait plus fort : ils approchent du rivage.

Enfin, ils atteignent une plage de galets.
Léa regarde autour d'elle, inquiète :

– De quel côté est la cabane ?

– Par là, je pense, répond Tom. Mais
n'allons pas trop vite. Il ne faudrait pas
tomber nez à nez avec les Vikings !

– Regarde ! souffle alors Léa.

Une tête de dragon se balance dans la

brume. La proue d'un drakkar !

Les enfants s'aplatissent derrière un rocher.
Puis, courbés en deux, ils s'avancent. La
silhouette du long navire apparaît peu à
peu. Ses voiles sont abaissées. Un filin en-
roulé autour d'un rocher le retient près du
rivage. Trois autres drakkars sont amarrés
derrière le premier. Les vagues les soulèvent

et les laissent retomber dans un grand clapotement.

– Où sont les Vikings ? demande Léa.

– Je ne sais pas. En tout cas, ils ont quitté leurs bateaux. Fonçons jusqu'à la cabane !

– Si on la trouve !

– Elle est forcément par là. Allons-y !

Mais, juste au moment où ils vont s'élancer, une troupe de guerriers surgit du brouillard. De longs cheveux jaunes dépassent de leurs casques.

Ils sont armés de haches ou d'épées, et portent un bouclier rond en bois, garni au centre d'une bosse de métal.

– Ils se préparent à escalader la falaise, chuchote Léa.

– Cachons-nous ! Ils vont bien finir par s'éloigner.

– On n'a qu'à monter dans un bateau, propose Léa.

– Bonne idée !

Les deux enfants courent en pataugeant vers le drakkar le plus proche. La coque n'est pas très haute, elle ne sera pas trop difficile à escalader.

Tom s'accroche au rebord de bois. Une vague le trempe jusqu'à la taille. Brrr ! L'eau est glacée. Le garçon tire de toute la force de ses bras, passe par-dessus bord et retombe dans le bateau. Gagné !

Secoué par le roulis, aveuglé par la brume, Tom a l'impression d'être dans un rêve. Il en oublie presque sa peur des Vikings.

– Aide-moi ! le supplie alors une petite voix plaintive.

Léa, accrochée au bastingage, n'arrive pas à grimper !

– Ma robe… ! bégaie-t-elle. … Trempée ! Trop lourde… !

– Prends ma main ! Tiens bon !

Tom réussit à hisser sa sœur à bord. Mais, quand elle s'écroule enfin sur le pont, une vague plus grosse que les autres soulève brusquement l'embarcation. Le cordage qui la retenait au rocher glisse et s'enfonce dans l'eau. Le drakkar, emporté par la houle, se met à dériver tout doucement vers le large.

8

Perdus en mer

– Qu'est-ce qui se passe ? s'affole Léa.

– C'est l'amarre ! Elle s'est détachée !

La petite fille se redresse et court s'appuyer au bastingage :

– On ne voit même plus l'île !

– On ne voit rien du tout, oui ! grogne Tom. On est complètement dans le brouillard.

– Et si c'était « nos heures les plus sombres » ?

– Peut-être, je ne sais pas… Regardons d'abord dans le livre !

Il tire de son sac l'album sur l'Irlande,

cherche une image de bateau viking et lit :

**Les navires vikings étaient solides,
rapides et faciles à manœuvrer.
Ils étaient munis d'avirons sur toute
leur longueur. Les sièges servaient
aussi de coffre aux rameurs,
qui y rangeaient leurs affaires.**

– Super ! s'écrie Léa. Ce ne sont pas « nos heures les plus sombres » !

– Qu'est-ce que tu veux dire ?

– Qu'il y a encore de l'espoir ! On n'a qu'à ramer jusqu'à l'île, et on retrouvera la cabane !

– Ramer jusqu'à... Tu es folle ou quoi ? D'abord, elle est où, l'île ? On ne la voit même plus ! Et les Vikings, tu les oublies ?

– S'il te plaît, Tom ! On peut tenter le coup ! Le garçon proteste :

– Tu as vu ces avirons ? Ils sont énormes !

Mais Léa a déjà une autre idée. Elle soulève le couvercle d'un des coffres servant de siège et farfouille à l'intérieur :

– Regarde ce que j'ai trouvé !

Elle se redresse en brandissant un casque de cuir et de métal.

– Tiens ! fait-elle en le posant sur la tête de son frère. Essaie-le !

– Un peu grand, constate Tom. Mais pas aussi lourd que celui du château fort, tu te souviens ?*

– Il y a en a peut-être un pour moi, dit la petite fille en fouillant dans un autre coffre. Ouais !

Elle se coiffe elle aussi d'un casque qui lui tombe jusqu'aux yeux :

– Maintenant, j'ai l'impression d'être une vraie Viking, pas toi ? Tu vas voir, ça va nous aider à ramer !

Léa s'assied sur l'un des sièges et elle empoigne l'aviron. Mais elle réussit à peine à le remuer.

– Laisse tomber, Léa, soupire Tom. Les Vikings sont des hommes, ils ont des gros muscles. On n'y arrivera jamais, on n'est pas assez forts.

– Tu n'as qu'à imaginer que tu es un guerrier très costaud ! Allez ! Prends l'autre rame !

Sa sœur est tellement drôle, avec son casque trop grand qui ballotte sur sa tête, que le garçon ne peut s'empêcher de sourire. Après tout, elle a peut-être raison ! Il s'assied de l'autre côté et saisit la rame.

– Ho hisse ! crient-ils ensemble. Ho hisse !

Dans un énorme effort, ils réussissent à remuer les lourdes barres de bois et à les plonger dans l'eau. Au même moment, une grosse vague fait tanguer le navire. Tom lâche sa rame, Léa dégringole de son siège. Une autre vague passe par-dessus bord et les

trempe complètement. Un éclair illumine le ciel noir. Le vent forcit.

– J'ai fr... froid ! bégaie Léa en se relevant.

La houle soulève l'embarcation, et la précipite aussitôt dans un creux profond. C'est pire que les montagnes russes à la fête foraine ! Les enfants sont jetés au sol, secoués, roulés, aspergés par des paquets d'eau de mer glacée.

– C'est une tempête ! On va couler ! s'affole Tom.

– C'est notre heure la plus sombre, cette fois ! crie Léa. Sors le livre de Frère Michael, vite !

Tom ouvre son sac, il pose la main sur l'épais volume recouvert de cuir et supplie :

– Sauve-nous, histoire !

Le bateau monte de nouveau au sommet d'une vague, et Tom découvre tout autour d'eux la mer déchaînée. Alors il se met à hurler d'épouvante : un monstre vient de surgir des profondeurs ! C'est un serpent gigantesque aux écailles noires et aux yeux flamboyants !

9

Le serpent de mer

La tête du serpent s'élève majestueuse-
ment au-dessus des vagues déchaînées.

– Qu'il est beau ! s'exclame Léa.

– Beau… ? s'étrangle Tom.

Le monstre balance son long cou écail-
leux où s'accrochent des algues.

– Va… va-t'en ! bafouille le garçon, terrifié.

– Oh non ! proteste Léa. Ne t'en va pas,
gentil serpent ! Viens nous aider !

La créature nage vers le bateau, ses
énormes anneaux ondulant dans un tour-
billon d'écume.

Tom se réfugie entre deux sièges de rameurs et ferme les yeux, le visage dans ses bras. Mais Léa, agrippée au bastingage, encourage le monstre :

– Allez, viens ! Ramène-nous jusqu'au rivage avant qu'on coule !

Tom sent soudain l'embarcation filer sur l'eau, comme propulsée par un puissant moteur. Il rouvre les yeux, se redresse.

– Tu vois ! fait remarquer triomphalement

Léa. Elle est super gentille, cette grosse bête !

Le garçon se penche par-dessus le bastingage et reste bouche bée : le serpent a appuyé son front contre la poupe du drakkar. Il le pousse à une vitesse folle à la surface des vagues.

Peu à peu, le vent se calme, le ciel s'éclaircit, et un rayon de soleil fait miroiter les eaux. Les enfants courent à l'avant pour voir le rivage se rapprocher. Ils distinguent déjà l'escalier creusé dans le roc, et la corniche où est posée la cabane magique.

– Plus vite ! crie Léa.

Le grand serpent donne une dernière poussée, et le drakkar vient s'échouer sur une petite plage de galets, au pied de la falaise.

Tom vérifie si le précieux livre de Frère Michael est à l'abri dans son sac. Puis il saute à terre, suivi de Léa.

Tous deux se retournent. Le monstre est dressé devant eux. Ses écailles se teintent

de rose et de vert à la lumière du soleil.

– Au revoir ! lance Léa. Et merci !

– Oui, un grand merci ! renchérit Tom.

Le serpent remue son énorme tête comme pour les saluer. Puis il plonge et disparaît dans les profondeurs de la mer.

Les enfants commencent leur escalade pour rejoindre la cabane.

Soudain, Léa pousse une exclamation :

– Aïe, aïe, aïe !

Elle désigne du doigt deux Vikings, penchés en haut de la falaise.

– Vite ! s'affole Tom.

Les Vikings dégringolent l'étroit escalier. Tom et Léa se hissent de rocher en rocher jusqu'à la cabane. L'un après l'autre, ils passent par la fenêtre. Tom se jette sur le livre qui contient la photo du bois de Belleville. Dressée devant l'ouverture, Léa lance aux guerriers casqués :

– Fichez le camp, méchants ! Laissez-nous tranquilles !

Tom pose son doigt sur l'image de leur bois et récite d'un trait :

– NOUSVOULONSREVENIRICITOUT-DESUITE !

Juste au moment où les visages menaçants des deux Vikings s'encadrent dans l'embrasure de la fenêtre, le vent commence à souffler.

Aussitôt, la cabane se met à tourner. Elle tourne plus vite, de plus en plus vite. Quand elle s'arrête, tout est calme et silencieux.

Le monstre
de la légende

– Ouf ! Je suis contente de me retrouver dans mes bonnes vieilles baskets ! lâche Léa. Tom frotte ses bras pour se réchauffer. Son sac à dos est accroché à son épaule. Tout va bien.

– Bonjour, les enfants ! Votre voyage s'est bien passé ?

La fée Morgane sort de la pénombre en souriant.

– Super ! s'écrie Léa.

– On vous rapporte votre légende ! déclare Tom.

Il ouvre son sac et en tire le magnifique livre de Frère Michael. La fée le prend avec un soupir de ravissement.

– Un ouvrage si précieux ! murmure-t-elle en caressant doucement de la main la couverture de cuir ornée de dorures. Une véritable œuvre d'art !

Elle dépose le volume près des deux rouleaux, celui de parchemin sauvé à Pompéi, et celui de bambou arraché aux mains du terrible empereur de Chine.

– Malheureusement, ajoute Tom, le texte de la légende n'est pas complet. Le moine qui la copiait n'a pas eu le temps de finir son travail.

– Je sais, dit Morgane en hochant la tête. Nous ne possédons, hélas, que des morceaux de certains textes très anciens.

– Et qu'est-ce qu'elle raconte, cette légende ? demande Léa, curieuse.

– Elle raconte l'histoire du gigantesque Serpent des Profondeurs, qui encerclait la Terre de ses innombrables anneaux. Ses colères provoquaient de terribles tempêtes et de nombreux naufrages.

– Quel monstre ! s'exclame Tom avec un frisson. Il a une tête affreuse !

– Ce n'est pas vrai ! proteste Léa. Il est très

beau et très gentil ! Tu oublies que c'est lui qui nous a sauvés !

– Je le préfère en image sur un livre. Et les Vikings aussi ! conclut son frère.

– Vous savez, dit la fée, les Vikings n'étaient pas seulement de redoutables guerriers. Ils n'ont pas fait que piller et détruire, ils ont aussi beaucoup apporté à la civilisation !

Tom fait la moue, pas très convaincu. Lui, il se souvient surtout de la belle lumière des chandelles dans la bibliothèque du monastère, et des merveilleuses enluminures ornant les parchemins.

– J'espère que Frère Patrick, Frère Michael et les autres moines ont eu la vie sauve, murmure-t-il. Et que les Vikings ne leur ont pas volé leurs beaux livres !

– En tout cas, ajoute la fée Morgane, je vous remercie et vous félicite pour votre courage. Vous êtes de vrais héros ! Maintenant, rentrez chez vous et reposez-vous un peu. La semaine prochaine, je vous enverrai découvrir la Grèce, au temps des premiers Jeux olympiques.

– Génial ! souffle Tom, les yeux brillants.

La Grèce antique le passionne.

Les deux enfants saluent la fée et quittent la cabane.

Ils remontent le sentier qui sort du bois. Le brouillard se dissipe peu à peu. Et quand ils arrivent devant leur maison, un gros soleil rose monte doucement à l'horizon.

À suivre...

Découvre vite la suite
des aventures de Tom et Léa dans
Course de chars à Olympie.

La cabane magique

propulse
Tom et Léa
au temps
des Grecs

★ 4 ★
Interdit aux filles !

Platon se tourne vers les enfants :

– Les jeux vont bientôt commencer. Il est temps de remonter vers le stade.

Les jeux ! Voilà qui intéresse particulièrement Tom !

Tous trois reprennent la route dans l'autre sens.

Léa n'arrête pas de grommeler :

– Pas le droit d'aller à l'école, pas le droit de faire du théâtre, pas le droit de sortir de la maison ! J'en ai assez, de la Grèce antique, moi ! On a trouvé le poème pour Morgane, on n'a qu'à repartir tout de suite !

– On regarde un peu les jeux, et après, on rentre, promet Tom.

– J'ai des places réservés, déclare Platon. Je vous aurais bien emmené tous les deux, mais...

★ ★ ★ ★ ★ ★ ★ ★ ★ ★

Il jette un coup d'œil embarrassé à Léa.

– Mais les filles n'ont pas le droit d'assister aux jeux, c'est ça ? s'emporte-t-elle.

Le philosophe hoche la tête :

– Je suis désolé. Mon pays est une démocratie. Cela signifie que tous les citoyens y ont les mêmes droits. Seulement… les femmes ne sont pas considérées comme des citoyens. Une femme surprise dans le stade pourrait être condamnée à mort !

– N'importe quoi ! s'exclame Léa.

– C'est vrai, dit Tom, ce n'est pas juste. Nous allons rentrer chez nous.

La petite fille hausse les épaules :

– Non, va voir les jeux, toi ! Je regarderai les pièces de théâtre pendant ce temps-là. Je t'attends là-bas, d'accord ? Au-revoir, monsieur Platon ! Et merci !

Elle s'éloigne en faisant un signe de la main.

Tom est embêté de laisser sa sœur toute seule.
Mais il a tellement envie d'assister aux jeux !
Il lance :
– Je ne resterai pas longtemps ! Et je te raconterai
tout, promis !
Puis il suit Platon vers l'entrée du stade.

**Léa restera-t-elle
sagement
à l'entrée du stade ?**

★ ★ ★ ★ ★ ★ ★ ★ ★ ★

Si tu as envie de nous donner
tes impressions sur la série
ou nous parler de **tes propres voyages,**
réels ou imaginaires,
n'hésite pas à nous écrire !

Bayard Éditions Jeunesse
Série Cabane magique
3, rue Bayard
75008 Paris

N'oublie pas d'écrire
ton nom et ton adresse sur la lettre !